S0-ALG-114

真果果 主编

天才儿童创造性思维培养系列

记忆力训练 ②

中国人口出版社
China Population Publishing House
全国百佳出版单位

图书在版编目（CIP）数据

记忆力训练：全6册 / 真果果主编. -- 北京 ： 中
国人口出版社，2018.7（2020.8重印）
（天才儿童创造性思维培养系列）
ISBN 978-7-5101-6010-3

Ⅰ. ①记… Ⅱ. ①真… Ⅲ. ①记忆能力－能力培养－
学前教育－教学参考资料 Ⅳ. ①G613

中国版本图书馆CIP数据核字(2018)第138518号

记忆力训练：全6册

真果果 主编

责任编辑　何　军　赵沐霖
装帧设计　冯　希
出版发行　中国人口出版社
印　　刷　北京朗翔印刷有限公司
开　　本　787毫米×1092毫米　1/16
印　　张　15
字　　数　1千
版　　次　2018年7月第1版
印　　次　2020年8月第2次印刷
书　　号　ISBN 978-7-5101-6010-3
定　　价　90.00元（全6册）

网　　址　www.rkcbs.com.cn
电子信箱　rkcbs@126.com
总编室电话　（010）83519392
发行部电话　（010）83510481
传　　真　（010）83538190
地　　址　北京市西城区广安门南街80号中加大厦
邮政编码　100054

前 言

 ## 什么是图像记忆？

　　人的右脑具有图像化功能，这种功能对于记忆十分有益，能把我们所见到的事物像照相机一样拍摄下来，储存于大脑中，这就是右脑记忆，也叫图像记忆，是非常有效的记忆方法。

 ## 如何训练图像记忆能力？

　　为了提升孩子的图像记忆能力，本书设计了六大记忆力训练游戏，分别是场景记忆、图形配对、曼陀罗涂色、图像描绘、图像联想和数字联想。

　　场景记忆　　用画面重现生活场景，在其中有意识地设计一些元素，要求孩子认真观察并记住，随后在头脑中呈现出来，从而激发图像记忆能力。

　　图形配对　　给出独立分散的图形，让孩子发挥想象力，运用联想记忆的方法将图像呈现在大脑中，考验专注力和记忆力。

　　曼陀罗涂色　　采用瞬间记忆的方式激发右脑功能，注视曼陀罗图10秒钟左右，再闭上眼睛回忆图像，提高孩子的视觉影像力、专注力、观察力和记忆力。

　　图像描绘　　在大脑中具体细致地描绘一个图像，以图像的方式保存，并随时读取。要求孩子仔细观察图画的细节、比例和造型等，然后试着在头脑中重现画面，再在纸上描绘。

　　图像联想　　把多个图像联系起来，联想成一段动画故事，联想越奇特，对大脑的刺激越深，越容易记住。经常训练图像联想可以使记忆更加牢固。

　　数字联想　　将数字通过谐音或数形的方式转换成具体的图像，然后进行图像联想，从而达到记住大量数字的目的。

记忆力游戏精选

　　纸牌排队游戏是一种简单、易操作的记忆力游戏，可以锻炼孩子的方位记忆能力，拓展他们的逻辑思维空间。家长可根据孩子自身的能力和对游戏的掌握程度，逐渐增加游戏的难度。常见的排列方式有 AB 式、ABC 式、ABB 式、ABA 式等。下面，我们就以最简单的 AB 式为例，讲解一下游戏规则。

　　首先，按照猫→兔→猫→兔→猫→兔的顺序，排好 6 张牌，让孩子记忆。

　　然后，打乱纸牌顺序，让孩子根据记忆，排出正确顺序。

　　提示：要照顾孩子的积极性，第一次游戏时适当降低难度，只打乱后 4 张纸牌的顺序。当孩子熟练掌握游戏规则后，再增加难度。纸牌张数可递次增加，排列方式也可自由变化。

　　孩子的发展有差异性，对题目的接受程度各不相同。
　　请家长多些耐心，和孩子一起慢慢成长。

▶ 扫码关注图书封底"真果果公众号"，获取思维训练答案。

小熊的花

仔细观察下图，记忆一下，然后翻到下一页。

场景记忆

看图并指出：哪束花在上页没有出现过？

小动物与水果

仔细观察下图，记忆一下，然后翻到下一页。

看图并指出：哪个小动物或水果在上页没有出现过？

野　餐

仔细观察下图中的食物，记忆一下，然后翻到下一页。

看图并指出：哪两种食物在上页没有出现过？

体育比赛

仔细观察下图，记忆一下，然后翻到下一页。

看图并指出：哪些小动物在上页出现过？要仔细辨别它们的动作哟！

医疗用品

仔细观察图中的医疗用品，记忆一下，然后翻到下一页。

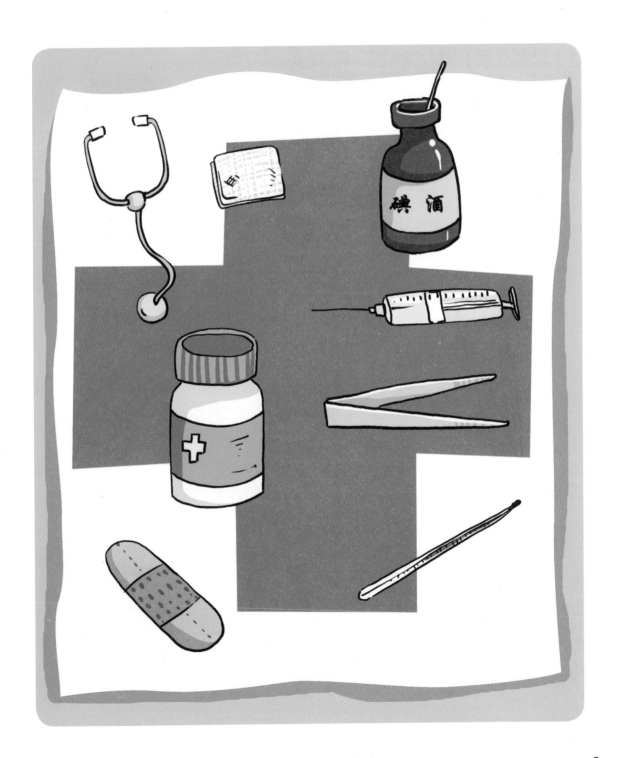

看图并指出：哪个物品在上页没有出现过？

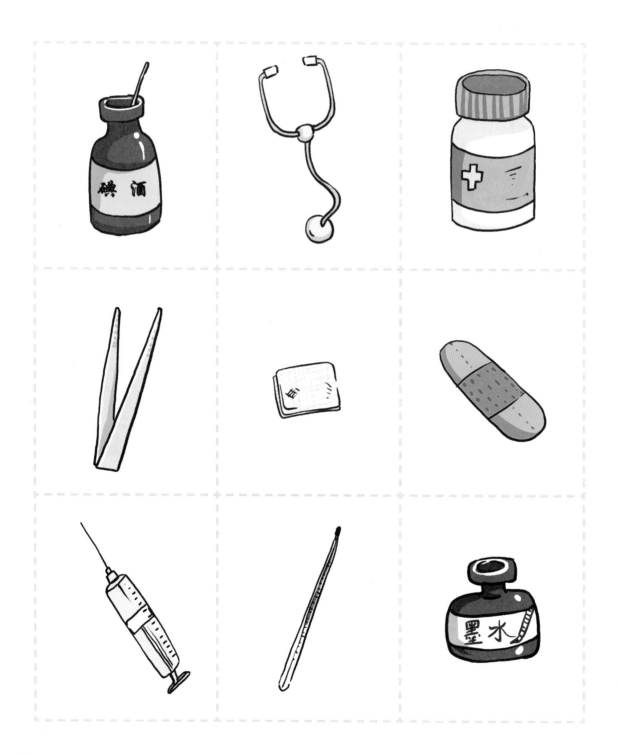

动物表情

仔细观察下图，记忆一下，然后翻到下一页。

看图并指出：哪 3 个表情在上页没有出现过？

餐桌上的垃圾

仔细观察下图，记忆一下，然后翻到下一页。

场景记忆

看图并指出：哪些垃圾在上页出现过？

小白兔与挂钟

小白兔在不同的时间做了不同的事情。仔细观察，记忆一下，然后翻到下一页。

根据上一页的图，将小白兔与挂钟连起来。

图形配对

垃圾分类

仔细观察下面两组图，记忆一下，然后翻到下一页。

根据上一页的图，将同一组的垃圾箱与垃圾连起来。

垃圾换盆栽

仔细观察下面 3 组图，记忆一下，然后翻到下一页。

图形配对

根据上一页的图，将垃圾和换来的盆栽连起来。

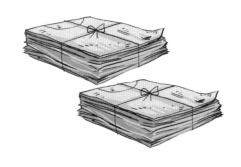

图形配对

植树节

仔细观察下图，记忆一下，然后翻到下一页。

图形配对

根据上一页的图，将同一组的动物与树连起来。

小鸟与大树

仔细观察下图，记忆一下，然后翻到下一页。

根据上一页的图，将同一组的大树与小鸟连起来。

鱼缸和鱼

仔细观察下图，记忆一下，然后翻到下一页。

根据上一页的图，将同一组的鱼缸和鱼连起来。

数字风铃

仔细观察下图，记忆一下，然后翻到下一页。

根据上一页的图，将同一组的小动物头像与数字连起来。

曼陀罗涂色（一）

观察下面的曼陀罗图案，记住每一格中的颜色，翻到下一页。

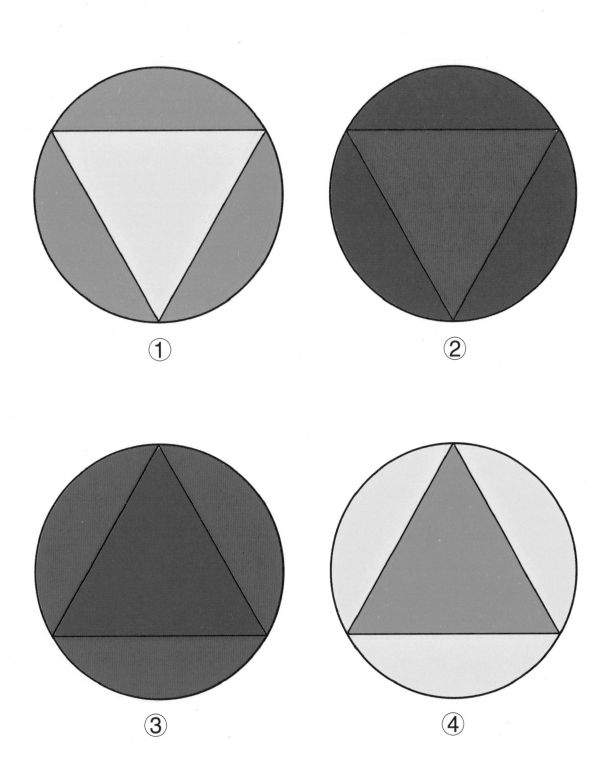

① ②

③ ④

根据上一页的图，给下列曼陀罗图案涂上颜色。

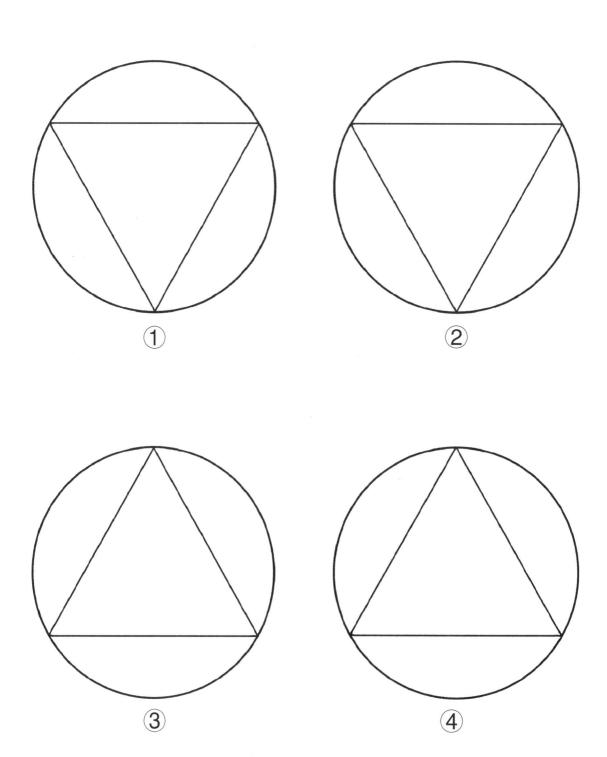

曼陀罗涂色（二）

观察下面的曼陀罗图案，记住每一格中的颜色，翻到下一页。

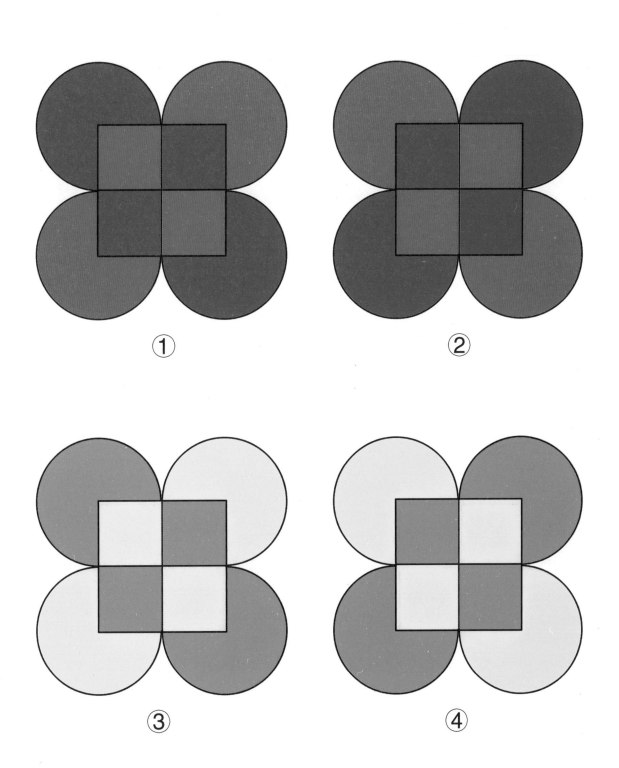

① ②

③ ④

曼陀罗涂色

根据上一页的图，给下列曼陀罗图案涂上颜色。

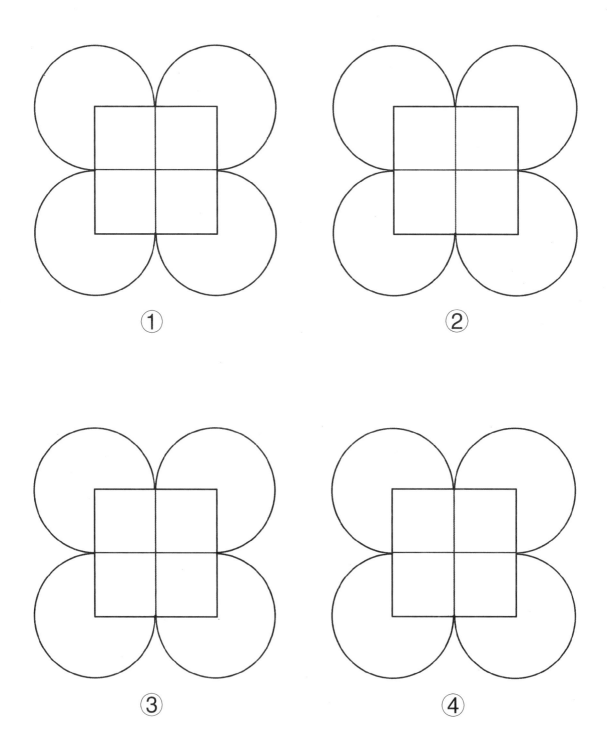

① ②

③ ④

曼陀罗涂色（三）

观察下面的曼陀罗图案，记住每一格中的颜色，翻到下一页。

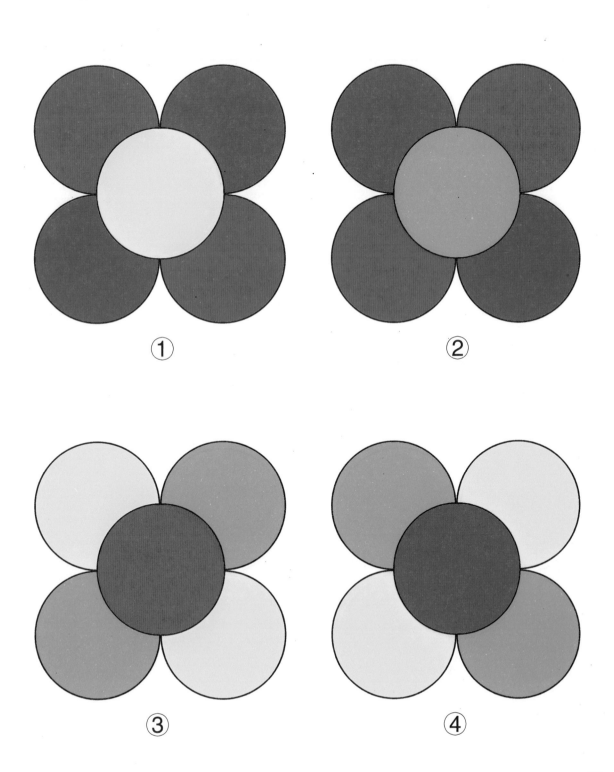

① ② ③ ④

曼陀罗涂色

根据上一页的图，给下列曼陀罗图案涂上颜色。

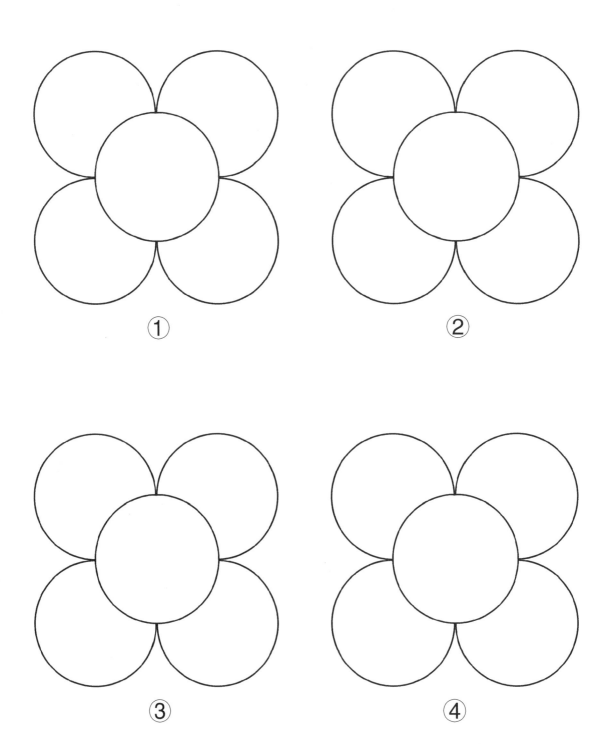